100 blagues! Et plus...
N° 30

Blagues et devinettes
Faits cocasses
Charades

Illustrations :
Dominique Pelletier

Compilation :
Julie Lavoie

Éditions
SCHOLASTIC

100 blagues! Et plus…
N° 30
© Éditions Scholastic, 2012
Tous droits réservés
Dépôt légal : 3e trimestre 2012

ISBN 978-1-4431-2037-1
Imprimé au Canada   117

Éditions Scholastic
604, rue King Ouest
Toronto (Ontario)
M5V 1E1
www.scholastic.ca/editions

Trop de rats... En 2012, les employés du métro de New York ont lancé un concours de photographies de rats. Le concours avait pour but de sensibiliser la population et d'inciter les autorités à sévir contre les rongeurs qui s'en prennent parfois aux passagers. C'est ma place!

Mon premier est le rongeur qui serait responsable de l'épidémie de peste au Moyen Âge.

Mon deuxième est dans tes chaussures.

Mon troisième est le contraire de turbulent.

Mon tout permet de garder un vêtement plus longtemps.

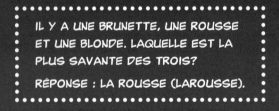

IL Y A UNE BRUNETTE, UNE ROUSSE ET UNE BLONDE. LAQUELLE EST LA PLUS SAVANTE DES TROIS?

RÉPONSE : LA ROUSSE (LAROUSSE).

Vieillir comporte peu d'avantages...
à moins d'être un morceau
de fromage.

Mon premier a une place pour chaque doigt.

On place mon second en terre pour faire pousser une plante.

Mon tout est une infection grave.

Maxime revient à la maison après l'école :

- Maman, j'ai eu un zéro à mon test parce que je ne savais pas ce que sont les biceps, les triceps et les quadriceps...

- C'est pourtant facile! s'exclame sa mère. Il te faut absolument travailler plus fort en mathématiques, Maxime...

Au cours d'une partie de hockey,
chaque joueur touchera à la rondelle
tout au plus une minute.

Mon premier est le résultat
de l'opération 10 x 10 =

Dans une journée, il y a 24
de mon second.

Mon tout est odorant.

Alors qu'ils s'apprêtent à faire une promenade en forêt, deux hommes aperçoivent un grand panneau sur lequel il est écrit :

DANGER! Ours affamés dans la forêt.

Portez des clochettes sur vos vêtements. Les ours n'aiment pas les visites surprises...

Apportez du poivre de Cayenne. Si un ours vous attaque, vous pourrez mieux vous défendre.

Observez les signes indiquant la présence d'un ours dans les environs. Si vous voyez des excréments d'ours, déterminez si ce sont des excréments d'ours brun ou ceux d'un grizzli.

Comment faire la différence? Les excréments des ours bruns contiennent beaucoup de petits fruits et parfois de la fourrure d'écureuil. Ceux des grizzlis contiennent des clochettes et ils ont une forte odeur de poivre de Cayenne!

Owen
Toronto (Ontario)

UN AVION S'ÉCRASE SUR LA FRONTIÈRE
CANADO-AMÉRICAINE. OÙ SERONT
ENTERRÉS LES RESCAPÉS? AU
CANADA OU AUX ÉTATS-UNIS?

RÉPONSE : ILS NE SERONT PAS
ENTERRÉS PUISQU'ILS
SONT VIVANTS.

Juliette discute avec Lyne :

- Aimes-tu les cornichons?
demande Juliette.

- Oui, répond Lyne, surtout
avec du ketchup.

- Ouache! Comment fais-tu?

- Très simple. Je prends la
bouteille, je l'ouvre et j'en
verse un peu sur le cornichon...

Maria
Pincourt (Québec)

En 2011, une dent de John Lennon a été mise aux enchères. Un dentiste canadien l'a achetée pour plus de 30 000 dollars!

Une petite fille se rend au parc avec sa grand-mère :

- Grand-maman, as-tu des bonnes dents?

- Non, ma petite, j'ai des fausses dents et crois-moi, c'est très difficile de bien mastiquer la nourriture...

- C'est parfait mamie! Alors tu veux bien tenir mon sac de caramel pendant que je vais me balancer?

Avez-vous déjà goûté à un Candwich?
Une compagnie américaine a mis en
marché des sandwiches en conserve...

Un homme de 100 ans a terminé le marathon de Toronto à l'automne 2011.

Un Espagnol a couru
500 marathons — donc plus de
21 000 km — en 500 jours!

Un jeune joueur de baseball vient de terminer sa première saison avec les pros. Il n'a pas vraiment été à la hauteur. À la fin de la dernière partie, un des vétérans de l'équipe va lui dire un mot :

- Je pense que j'ai trouvé ton problème. À chaque partie, tu perds toujours tes moyens au même moment...

- Ah oui! Et à quel moment? demande le joueur recru.

- Tout de suite après l'hymne national...

Mon premier dure 365 jours.

Mon second est le son que tu obtiens en enlevant la deuxième consonne du mot chien.

Mon tout est dépassé.

Une dame va chercher un ami à l'aéroport :

- Que transportes-tu dans tes deux grosses valises?

- Ouvre-les et tu verras, répond l'homme.

Elle ouvre la première valise et lance un cri d'horreur.

- Qu'est-ce que c'est que cette bestiole?

- Tu vois bien! C'est un scorpion géant.

- Qu'est-ce qu'il y a dans l'autre? demande la femme.

- Ouvre-la et tu verras!

Lorsqu'elle ouvre la deuxième valise, un nuage de fumée s'échappe et un génie apparaît :

- Fais un vœu et je l'exaucerai!

- Je veux une corvette rose! lance la femme.

Le nuage de fumée se dissipe et à ses pieds gît une grosse crevette rose.

- Il est sourd ton génie ou quoi!

- Et moi, tu crois que j'avais demandé un scorpion?

VRAI OU FOU?

1- Une chantepleure est un robinet de tonneau.

2- Blutage est un nom servant à désigner une teinte de bleu qui n'est ni pâle ni foncée.

3- Une griffade est un long morceau de bœuf séché pour la conservation.

Dans l'océan Indien, il y a
un restaurant sous l'eau! On
peut observer la faune aquatique
à travers le dôme de verre tout
en dégustant un bon repas!

Deux hommes pêchent sur un lac par une belle matinée d'été. Tout à coup, un bateau à moteur tirant un jeune homme en ski nautique passe près d'eux à toute vitesse. Fâchés, les deux pêcheurs se lèvent en hurlant, puis se rassoient. Deux minutes plus tard, le skieur repasse, mais cette fois, il tombe, coule et ne remonte pas à la surface. Le bateau à moteur s'éloigne... Paniqué, l'un des pêcheurs plonge et ramène le corps inerte sur la berge.

- Vite! Il faut lui faire la respiration artificielle, sinon il va mourir, dit-il.

- Beurk! Il pue trop de la bouche, dit l'autre. Dégoûtant!

- Tasse-toi! Je vais le faire... Oh! Comme il pue! C'est incroyable!

- Mais attends une minute... Je pense que tu n'as pas remonté le bon! Regarde, il porte des patins...

Dans l'avion qui transporte des parachutistes, il y a une affiche sur laquelle on peut lire :

Conseils pour les apprentis parachutistes.

- Après avoir sauté, si les vaches semblent grosses comme des fourmis, tout va bien.

- Lorsque tu vois que les vaches sont grosses comme des vaches, il est plus que temps d'ouvrir ton parachute.

- Et si tu crois que les fourmis sont des vaches... c'est qu'il est trop tard !

Quand j'étais jeune... On estime que les tortues géantes des Îles Galápagos peuvent vivre de 150 à 200 ans.

QUE SIGNIFIE ÊTRE AU BOUT DU ROULEAU?

RÉPONSE : C'EST UN SENTIMENT D'IMPUISSANCE TRÈS PÉNIBLE ET INCONFORTABLE... SURTOUT QUAND ON EST AUX TOILETTES.

QUELLES SONT LES LETTRES DE L'ALPHABET PRÉFÉRÉES DES PARENTS?

RÉPONSE : O B I C (OBÉISSEZ)

ELLIOT
TORONTO (ONTARIO)

Le loir hiberne plus de six mois
par année... D'où l'expression
dormir comme un loir.

On peut faire du papier
avec la canne à sucre...
Vincent, où sont tes devoirs?

Mon premier est le contraire de froid.

Mon deuxième peut être liquide ou en bâton.

Mon troisième est une lettre qui indique l'excellence.

Mon tout est une friandise.

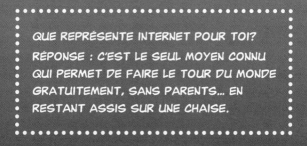

QUE REPRÉSENTE INTERNET POUR TOI?

RÉPONSE : C'EST LE SEUL MOYEN CONNU QUI PERMET DE FAIRE LE TOUR DU MONDE GRATUITEMENT, SANS PARENTS... EN RESTANT ASSIS SUR UNE CHAISE.

Deux hommes passent un examen pour entrer dans la police.

Le premier entre dans le bureau du chef qui lui montre une photo.

- Comment reconnaîtriez-vous ce suspect dans la rue?

- C'est facile! Il n'a qu'un œil et qu'une oreille!

- Mais monsieur, vous vous moquez de moi! Le suspect est photographié de profil!

L'autre homme entre à son tour dans le bureau du chef.

- Comment reconnaîtriez-vous ce suspect dans la rue? demande-t-il.

- C'est simple! Il porte des lentilles.

- Vous êtes très fort! Comment le savez-vous?

- Il ne peut pas avoir de lunettes, il n'a qu'un œil et qu'une oreille.

Après la remise des bulletins, Cédéric et sa mère vont rencontrer l'enseignant.

- Pourquoi n'avez-vous donné que des E à mon fils? demande la mère de Cédéric.

- J'aurais bien aimé lui donner des Z, mais je n'ai pas le droit...

Simon
Bécancour (Québec)

Tu ne dors pas seul... Dans ton lit, il y
a des milliers d'acariens, des insectes
minuscules invisibles à l'œil nu.

Les acariens aiment la chaleur et l'humidité... Bien aérer ses draps et ses couvertures permet de se débarrasser de bon nombre de ces petites créatures. Voilà une bonne raison de ne pas faire son lit!

Deux hommes se promènent en voiture sur une route de campagne.

- Regarde! Il y a des chevals là-bas!

- Ce ne sont pas des chevals, mais des chevaux.

- Dis donc! Je ne savais pas que les chevaux ressemblaient tant à des chevals!

. . . .

Une femme téléphone à son mari qui se rend au travail en voiture.

- Chéri, fais attention. On vient de dire à la radio qu'il y a un conducteur fou qui roule à contresens sur l'autoroute.

- Je dirais même qu'il y en a plusieurs...

Mon premier s'obtient en mélangeant du bleu et du jaune.

Mon deuxième est la partie longue d'une fleur.

Mon troisième est la troisième voyelle de l'alphabet.

Mon quatrième est parfois difficile à défaire dans les lacets.

Mon tout donne parfois mal au cœur.

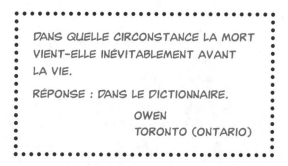

DANS QUELLE CIRCONSTANCE LA MORT VIENT-ELLE INÉVITABLEMENT AVANT LA VIE.

RÉPONSE : DANS LE DICTIONNAIRE.

OWEN
TORONTO (ONTARIO)

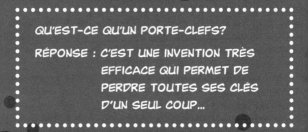

QU'EST-CE QU'UN PORTE-CLEFS?

RÉPONSE : C'EST UNE INVENTION TRÈS
EFFICACE QUI PERMET DE
PERDRE TOUTES SES CLÉS
D'UN SEUL COUP...

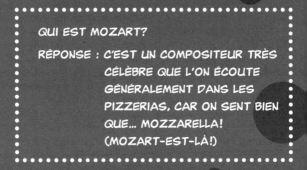

QUI EST MOZART?

RÉPONSE : C'EST UN COMPOSITEUR TRÈS
CÉLÈBRE QUE L'ON ÉCOUTE
GÉNÉRALEMENT DANS LES
PIZZERIAS, CAR ON SENT BIEN
QUE... MOZZARELLA!
(MOZART-EST-LÀ!)

Le premier signal de détresse
du Titanic a été envoyé vers
0 h 10, la nuit du 15 avril 1912.
On savait que le paquebot était en
train de couler, mais on a ordonné
à l'orchestre de jouer des airs
joyeux pour calmer les passagers.

35

Mon premier est l'endroit où s'arrête le train.

Mon deuxième peut être douce ou salée.

Mon troisième est une syllabe du mot chercher qui est aussi dans le mot chétif.

Mon tout est un mot familier qui signifie lancer.

QUE SONT DES PARENTS?

RÉPONSE : CE SONT DES PERSONNES QUI
APPRENNENT AUX ENFANTS À
MARCHER ET À PARLER... POUR
ENSUITE LEUR DIRE DE RESTER
ASSIS ET DE SE TAIRE.

COMMENT APPELLE-T-ON UN HOMME QUI
EST TOUJOURS GENTIL?

RÉPONSE : UN BONHOMME.

CINDY
OTTAWA (ONTARIO)
MERCI DE NOUS
LIRE, CINDY!

Une vache qui broute dans le pré dit à son voisin :

- Cette maladie qui court chez les vaches, c'est épouvantable! On peut devenir complètement folle! Ça ne te fait pas peur?

- Pourquoi ça me ferait peur? Je suis un lapin...

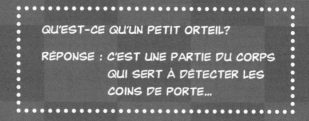

QU'EST-CE QU'UN PETIT ORTEIL?

RÉPONSE : C'EST UNE PARTIE DU CORPS QUI SERT À DÉTECTER LES COINS DE PORTE...

Mon premier est une grande fête où l'on danse.

Mon deuxième sert, entre autres, à fabriquer des fromages.

Mon troisième est l'abréviation de numéro.

Mon tout est le petit d'un gros mammifère marin.

QUE PREND L'ÉLÉPHANT AU RESTAURANT?

RÉPONSE : BEAUCOUP DE PLACE.

Champion d'haltérophilie! L'éléphant peut soulever plus de 300 kg avec sa trompe. C'est le poids d'environ huit enfants de 10 ans!

Championne dans sa catégorie! La fourmi peut soulever 50 fois son poids.

Henri est déçu, car son ami Oscar n'a pas su garder son secret :

- Oscar, je t'avais dit que c'était un secret! Tu m'avais donné ta parole et tu ne l'as pas tenue!

- Calme-toi, l'ami! Comment voulais-tu que je tienne ma parole, alors que je te l'avais donnée!

• •

L'araignée dit à la mouche :

- Tu veux que je t'apprenne à tisser?

- Non merci. Je préfère filer… BZZZZZZZZZZZ!

DE QUELLE COULEUR SONT LES PETITS POIS?

RÉPONSE : ROUGE, CAR LES PETITS POISSONS ROUGES...

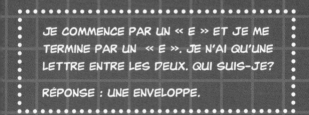

JE COMMENCE PAR UN « E » ET JE ME TERMINE PAR UN « E ». JE N'AI QU'UNE LETTRE ENTRE LES DEUX. QUI SUIS-JE?

RÉPONSE : UNE ENVELOPPE.

QU'EST-CE QUE L'ARBRE FÂCHÉ DIT
À LA FLEUR?

RÉPONSE : ESPÈCE D'EMPOTÉE!

COMMENT FINIT L'OPÉRA?

RÉPONSE : PAR UN MAL DE GORGE.

PATRICK
GREEN VALLEY (ONTARIO)

L'ail, l'oignon et les mets épicés donnent parfois une mauvaise odeur à la sueur...

Il existe un oreiller qui arrive à détecter les larmes des personnes tristes. Dès la première larme, l'oreiller se met à diffuser un message réconfortant ou une chanson.

- Julien, réveille-toi! crie sa mère. Tu as un cours de mathématiques ce matin.

- J'aimerais tellement être une rivière... réplique-t-il. Si j'étais une rivière, je pourrais suivre mon cours sans quitter mon lit.

QUEL EST LE SEUL PRÉNOM NUMÉRIQUE?

RÉPONSE : VINCENT (VINGT-CENT).

Tout est meilleur avec du bacon.
Vraiment? Aux États-Unis, on peut
même trouver de la pâte dentifrice
à saveur de bacon...

Par une chaude journée d'été, un éléphant se baigne dans une piscine. Une fourmi très énervée s'approche de la piscine et s'écrie :

- Sors de là tout de suite!

Étonné, l'éléphant obéit. La fourmi se calme aussitôt.

- Bon, ça va... Ce n'est pas toi qui as volé mon maillot de bain.

Mon premier est le petit de
la vache.

Mon deuxième sert à couper
les planches de bois.

Mon troisième sert à repasser
les vêtements.

Mon quatrième est la deuxième
note de la gamme de do.

Mon tout est une façon
d'exprimer sa colère.

Un vol presque parfait...

- Docteur, je suis tellement sourde que je ne m'entends même plus péter.

- Mmmh... Essayez ce médicament, dit-il, en lui tendant un flacon.

- Vous êtes certain que j'entendrai mieux avec ça?

- Non, mais ça vous fera péter plus fort.

Un homme se rend à l'hôpital. Il ne se sent pas bien du tout.

Après avoir fait une multitude de tests, le médecin lui dit :

- J'ai des mauvaises nouvelles pour vous. Vous avez la lèpre, le choléra et la peste.

L'homme s'effondre.

- Oh mon Dieu! Et qu'est-ce que vous pouvez faire?

- Pas grand-chose, malheureusement. Vous devrez rester à l'hôpital et on vous prescrira un régime alimentaire à base de crêpes, de soles, de pizzas et de biscuits fins.

- Et vous pensez que toutes ces bonnes choses peuvent me sauver?

- Je ne sais pas, mais en tout cas, ce sont des aliments qu'on peut facilement glisser sous la porte de votre chambre...

QU'EST-CE QUI NE MEURT JAMAIS...
MÊME SI TU ESSAIES DE LE TUER?

RÉPONSE : LE TEMPS.

Une maman dit à sa fille :

- Si tu es gentille, tu iras au ciel.
Si tu es méchante, tu iras en enfer.

- Et si je veux juste aller au cinéma,
qu'est-ce que je fais?

Mon premier dure douze mois.

Mon deuxième couvre les racines des plantes.

Mon troisième est une syllabe qui se répète dans le mot tirelire.

Mon quatrième ne dit pas la vérité.

Mon tout est un rituel.

56

On estime qu'environ
4,5 millions de personnes
se font mordre par un chien
aux États-Unis chaque année.

Mon premier se met au bout d'un hameçon.

Le sang circule dans mon second.

Mon tout est une plante.

● ●

Mon premier est la première lettre du prénom du grand amour de Roméo...

Mon deuxième est le contraire de beau.

Mon tout est un vêtement.

Un nouveau continent a été découvert dans le nord-est de l'océan Pacifique. C'est un endroit immense et très spécial... presque totalement composé de plastique. En effet, tous les déchets de plastique jetés dans l'océan suivent les courants marins et finissent par former une masse s'apparentant à un continent... inhabité.

Un homme va chez le médecin avec une banane dans une oreille, une carotte dans l'autre et une croûte de pain dans le nez.

- Docteur, ça ne va pas du tout. Je me demande ce que j'ai...

- Je crois que vous ne mangez pas proprement.

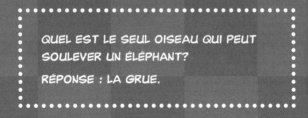

QUEL EST LE SEUL OISEAU QUI PEUT SOULEVER UN ÉLÉPHANT?

SOULEVER UN ÉLÉPHANT?

RÉPONSE : LA GRUE.

Deux femmes militaires discutent en s'entraînant :

- Pourquoi as-tu choisi l'armée?

- Parce que je suis célibataire et j'aime la guerre... Et toi?

- Moi, parce que je suis mariée et que je veux la paix!

Intelligence canine... On dit que les chiens de race border collie seraient les plus intelligents. Les caniches viendraient en deuxième place. Mais heureusement, il y a des exceptions.

Mon premier est 5e sur 12.

Mon deuxième est le contraire
de rapide.

Mon troisième peut être liquide,
mais elle fait moins de dégâts
en bâton.

Mon quatrième est confortable
pour dormir.

Mon tout décrit le sentiment
d'une personne rêveuse ou triste.

L'employé du train regarde le billet d'une femme :

- Votre billet est pour Rimouski, mais ce train se dirige vers Montréal...

- Ah bon! Ce n'est pas rassurant. Ça lui arrive souvent au conducteur de se tromper comme ça?

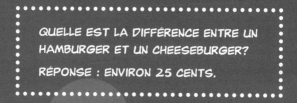

QUELLE EST LA DIFFÉRENCE ENTRE UN HAMBURGER ET UN CHEESEBURGER?

RÉPONSE : ENVIRON 25 CENTS.

Une femme va voir le médecin :

- Docteur, si j'arrête de travailler pour réduire mon stress, si je ne bois plus d'alcool ni de café, si je ne mange plus jamais de croustilles ni de sucreries ni de desserts, si je renonce aux viandes rouges et aux fromages gras... Est-ce que je vivrai plus longtemps?

- Peut-être pas, répond le médecin, mais une chose est certaine, la vie vous paraîtra plus longue...

Une Écossaise a découvert les plaisirs des jeux vidéo à l'âge de 96 ans. À 100 ans, elle jouait encore plusieurs heures par jour.

Une mère demande à sa fille :

- Que veux-tu faire quand tu seras grande?

- Je veux être enseignante et pêcheuse, dit la fillette.

- C'est très bien, mais pourquoi ces deux métiers?

- Les professeurs sont en congé l'été et les pêcheurs ne travaillent pas l'hiver...

Petite annonce : Berger allemand à vendre. Mange n'importe quoi. Adore les enfants...

● ●

Une femme dit à son boulanger :

- Votre pain est moisi, monsieur.

- Ne me manquez pas de respect, madame. Vous n'étiez pas encore née que je faisais déjà du pain!

- C'est bien ce que je pensais! Pourquoi avez-vous attendu si longtemps avant de le vendre!

En Indonésie, certains roulent
sur l'or... d'autres sur les clous!
Des vendeurs de pneus sèment
des clous sur la route pour
s'attirer des clients.

VRAI OU FOU?

1- Bidouiller est l'action d'arranger, de faire fonctionner quelque chose en bricolant.

2- Un grigou est un jeune homme qui a les cheveux gris.

3- Une rizerie est une mauvaise blague.

Un scientifique japonais a fabriqué des cordes de violon avec des fils d'araignée. Le résultat serait un son plus doux et plus harmonieux.

Un homme s'apprête à partir en voyage. Il sort de son immeuble et demande au conducteur d'un taxi :

- Combien ça va me coûter pour transporter cette grosse valise jusqu'à l'aéroport?

- Pour la valise, c'est gratuit monsieur.

- C'est parfait! Alors, apportez ma valise à l'aéroport pour 16 heures, s'il vous plaît. Moi, je vais m'y rendre en autobus et je vous rejoins là-bas.

Une mère demande à sa fille :

- Pourquoi es-tu encore assise devant la télé?

- C'est pourtant simple... Si j'étais derrière, je ne verrais rien!

• •

Au restaurant, un serveur dit à un autre serveur :

- N'offre plus la soupe maison, d'accord? Je viens de casser l'ouvre-boîte.

Un caniche rencontre un berger allemand au parc :

- Sais-tu quelle est la différence entre toi et les ordinateurs? dit le caniche.

- Je ne sais pas, répond le berger allemand, mais tu fais sûrement référence à mon intelligence supérieure...

- Pas du tout! C'est que tous les deux vous avez des puces.

Mon premier est un petit mot
pour exprimer le rire.

Mon deuxième est une céréale
qui se croit drôle.

On joue au billard sur mon
troisième.

Mon tout peut se dire de
quelqu'un qui se lève du
mauvais pied...

Une femme va à son premier cours de danse sociale. Son cavalier, un bel inconnu, la fait tournoyer en la serrant dans ses bras musclés. Tout à coup, par accident, elle lâche un pet...

- C'est très embarrassant, chuchote-t-elle. J'espère que cela va rester entre nous.

- Pouah! Au contraire! J'espère que cela va circuler!

• •

Deux cannibales discutent :

- Ta femme, elle nous a fait un bon souper.

- Oui, mais elle va beaucoup me manquer...

Mon premier est une pièce de jeu à six côtés.

Mon deuxième est une unité de mesure égale à 1000 kg.

Mon troisième est au milieu du visage.

Mon tout ne va pas du tout.

· ·

Mon premier est une vitamine que nous procure le soleil et qu'on retrouve aussi dans le lait.

Mon deuxième est un préfixe qui signifie trois.

Mon troisième est un pronom personnel à la 2e personne du singulier.

Mon quatrième est le son que fait le serpent.

Mon tout est malpropre.

Mon premier est la 8e consonne de l'alphabet.

Mon deuxième te dit combien ça coûte.

Mon troisième est le pluriel de ciel.

Mon tout est difficile à satisfaire.

• •

Deux hommes marchent dans le désert :

- Il y a sûrement eu une grosse tempête de neige hier...

- Qu'est-ce que tu racontes? Il n'y a pas de neige dans le désert!

- Alors, dis-moi pourquoi ils ont sablé la route, hein?

Un homme et une femme décident d'aller au cinéma avec leur bébé. Ils se présentent au guichet :

- Nous n'avons pas de gardienne, alors nous avons décidé de venir avec notre bébé. De toute façon, il ne dérangera personne. Il dort tout le temps.

- C'est d'accord, répond le guichetier, mais s'il commence à pleurer, vous devrez sortir tout de suite et on vous remboursera.

Le film commence... Quinze minutes plus tard, la femme dit à l'oreille de son mari :

- Il est complètement nul ce film!

- Tu as raison. Pince un peu le bébé...

82

En Floride, un touriste s'apprête à se baigner pour se rafraîchir, mais il hésite un peu :

- Est-ce qu'il y a des requins par ici, monsieur, demande-t-il à un passant?

- Non, il n'y a pas de requins, répond l'homme, mais...

Sans attendre la suite, le touriste plonge dans l'eau... Et l'homme termine sa phrase :

- ... mais il y a des alligators!

Passer l'aspirateur pendant 30 minutes
permet de dépenser plus ou moins
100 calories. Si vous le passez vite,
vous dépenserez plus d'énergie, mais
le résultat ne sera pas le même...

Une maman moustique dit à ses petits :

- Il ne faut pas vous approcher des humains. Ils n'aiment pas les moustiques et ils veulent nous faire du mal...

- Ce n'est pas vrai, maman! Hier, un monsieur a passé toute la soirée à m'applaudir...

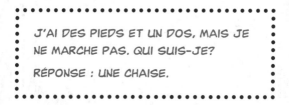

J'AI DES PIEDS ET UN DOS, MAIS JE NE MARCHE PAS. QUI SUIS-JE?

RÉPONSE : UNE CHAISE.

87

Mon premier est le verbe être conjugué avec nous.

Mon deuxième est l'abréviation de numéro.

Mon troisième est le contraire de vite.

Mon tout est fatigué.

Dans l'Égypte ancienne, pour soigner une blessure, on appliquait d'abord un morceau de viande fraîche pour apaiser la douleur. On enduisait ensuite la blessure de miel pour désinfecter la plaie.

Aurélie dit à son papa :

- J'ai une devinette pour toi!
Qu'est-ce qui a six pattes, qui est
rouge et noir et qui mesure environ
5 cm?

- Je n'en ai aucune idée. Je donne
ma langue au chat...

- Je ne le sais pas non plus, mais
tu l'as dans le cou!

● ●

- Maman, papa m'a toujours dit
qu'on descendait du singe.

- Ah bon! Tu en sais plus que moi!
Ton père a toujours refusé de me
parler de sa famille.

Dans la cuisine, l'éponge est probablement l'article qui est le plus contaminé par les bactéries.

QU'EST-CE QUI EST INVISIBLE ET QUI
SENT LA CAROTTE?
RÉPONSE : UN PET DE LAPIN.

QU'EST-CE QUI EST INVISIBLE ET QUI
SENT LA BANANE?
RÉPONSE : UN PET DE SINGE.

- Maman, est-ce bien vrai que tes lunettes grossissent tout, tout, tout?

- Oui, c'est bien vrai.

- Alors, je veux que tu les mettes avant de regarder les notes sur mon bulletin...

QUELLES SONT LES TROIS LETTRES QUI PEUVENT EMPÊCHER LES OISEAUX DE VOLER?

RÉPONSE : L, K, C

Il fait un vent à décorner les bœufs. Autrefois, on coupait les cornes des bœufs une fois par année. Les animaux saignaient abondamment, ce qui ne manquait pas d'attirer beaucoup de mouches! On attendait donc un jour de grand vent pour décorner les animaux...

Certains préfèrent dire qu'il fait
un vent à décoiffer un chauve...

Mon premier est la 4e lettre de l'alphabet.

Mon deuxième sert à couper des planches de bois.

Mon troisième mesure 100 cm.

Mon tout est une unité de mesure.

• •

Une maman amène ses trois enfants au restaurant.

- Les enfants, j'ai une petite devinette pour vous : savez-vous quelle est la différence entre de l'eau et du soda?

- Nooon! répondent en chœur les enfants.

- C'est très bien, dit-elle en se tournant vers le serveur. Monsieur, vous pouvez nous apporter de l'eau, s'il vous plaît?

Mon premier est le résultat
de l'opération 34 - 26 + 2 =

Mon second est synonyme de
tribunal.

Mon tout peut parfois être
long et pénible...

●●●

Mon premier est le contraire
d'insuffisant.

Mon second est l'organe de
l'odorat.

Mon tout occupe une place
d'honneur.

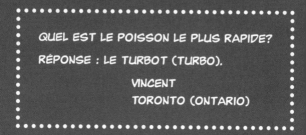

QUEL EST LE POISSON LE PLUS RAPIDE?

RÉPONSE : LE TURBOT (TURBO).

VINCENT
TORONTO (ONTARIO)

Au restaurant, après avoir bien étudié le menu, une fillette demande au serveur :

— Monsieur, que me recommandez-vous?

— Un autre restaurant...

Aux États-Unis, une chaîne de restauration rapide a lancé un nouveau dessert : le lait frappé à saveur de bacon. Les végétariens ont tout pour se réjouir! Il n'y a pas de vraie viande fumée dans le mélange... juste un peu de sirop à saveur de bacon.

Un jeune citron demande à son papa :

- Comment as-tu fait pour vivre si longtemps?

- La seule façon de vivre vieux, c'est d'éviter d'être pressé...

• •

- Docteur, je n'y comprends plus rien. À chaque fois que je dis abracadabra, les gens autour de moi disparaissent. Qu'est-ce que je peux faire? Docteur? Docteur? Où êtes-vous?

Dans la Rome antique, un jeune homme est envoyé dans l'arène du Colisée avec un lion. Effrayé, il se met à courir autour de l'arène à toute vitesse... un tour, deux tours... Tout à coup, le lion, qui jusque-là n'avait pas bougé, se met à courir pour le rattraper. La foule se met alors à hurler :

- Attention! Attention! Le lion approche!

Le jeune homme jette un œil derrière avant de crier à la foule :

- Ne vous inquiétez pas! J'ai encore un tour d'avance sur lui!

Il pleut des cordes. Il pleut
à boire debout. Il pleut comme
vache qui pisse. Peu importe
comment on le dit, ces expressions
veulent dirent la même chose.

Un général passe son armée en revue.
Il donne un coup de pied à l'un de
ses soldats et lui demande :

- Est-ce que cela t'a fait mal?

- Non, mon général! Je suis un dur
à cuire et je suis fier d'être un soldat!

- Le général lui donne ensuite un coup
de poing dans le ventre.

- Est-ce que cela t'a fait mal?

- Non, mon général! Je suis un dur à
cuire et je suis fier d'être un soldat!

Le général trouve ce soldat un peu trop
arrogant à son goût. Avec la crosse de
son fusil, il frappe de toutes ses forces sur
le pied gauche du soldat et lui demande en
souriant :

- Et maintenant, est-ce que cela te
fait mal?

- Non, mon général! Je chausse du 9
et on m'a donné du 12...

Fais-nous rire!

Envoie-nous ta meilleure blague.
Qui sait? Elle pourrait être publiée dans
un prochain numéro des
100 BLAGUES! ET PLUS...

100 Blagues! et plus...
Éditions Scholastic
604, rue King Ouest
Toronto (Ontario)
M5V 1E1

Au plaisir de te lire!

Solutions

VRAI OU FOU?

Page 19

1- Vrai. D'ailleurs, ce mot serait à l'origine du mot *champlure* qu'on entend encore aujourd'hui et qui signifie robinet (par exemple : l'eau de la *champlure*).

2- Fou. Blutage est la séparation du son et de la farine. On peut aussi dire tamisage.

3- Fou. C'est un coup de griffe.

VRAI OU FOU?

Page 70

1- Vrai.

2- Fou. Un grigou est un homme avare.

3- Fou. C'est une usine où l'on traite le riz.